O fantasma
de Canterville

Oscar Wilde

O fantasma de Canterville

tradução
Oscar Nestarez

São Paulo, 2021

O fantasma de Canterville
The Canterville Ghost by Oscar Wilde
Copyright © 2021 by Novo Século Editora Ltda.

Traduzido a partir da edição disponível no Project Gutenberg.

EDITOR: Luiz Vasconcelos
COORDENAÇÃO EDITORIAL E PROJ. GRÁFICO: Nair Ferraz
TRADUÇÃO: Oscar Nestarez
PREPARAÇÃO: Cinthia Zagatto
REVISÃO: Larissa Caldin
ILUSTRAÇÃO DE CAPA: Bruno Novelli
ARTE-FINAL DE CAPA: Luis Antonio Contin Junior

Texto de acordo com as normas do Novo Acordo Ortográfico da Língua Portuguesa (1990), em vigor desde 1º de janeiro de 2009.

Dados Internacionais de Catalogação na Publicação (CIP)
Angélica Ilacqua CRB-8/7057

Oscar, Wilde (1854-1900)
　O fantasma de Canterville / Oscar Wilde; tradução de Oscar Nestarez, ilustração de Bruno Novelli. – Barueri, SP: Novo Século Editora, 2021.

Título original: *The Canterville Ghost*

1. Ficção inglesa I. Título. II. Nestarez, Oscar III. Novelli, Bruno

20-4358　　　　　　　　　CDD 823

Índice para catálogo sistemático:
1. Ficção inglesa 823

uma marca do
Grupo Novo Século

Alameda Araguaia, 2190 – Bloco A – 11º andar – Conjunto 1111
CEP 06455-000 – Alphaville Industrial, Barueri – SP – Brasil
Tel.: (11) 3699-7107
www.gruponovoseculo.com.br | atendimento@gruponovoseculo.com.br

Uma divertida crônica sobre as atribulações do fantasma da propriedade de Canterville quando seus corredores ancestrais se tornam lar do ministro americano para a Corte de St. James.

1

Quando o senhor Hiram B. Otis, o ministro americano, comprou a propriedade de Canterville, todos disseram a ele que estava fazendo algo muito estúpido, já que não restavam dúvidas de que o lugar era assombrado. Com efeito, o próprio Lord Canterville, um homem de escrupulosa honra, sentiu que era seu dever mencionar o fato ao senhor Otis quando se encontraram para debater os termos da aquisição.

– Não nos dispusemos mais a viver no lugar – disse Lord Canterville – desde que minha tia-avó, a viúva duquesa de Bolton, foi acometida por um susto tamanho, do qual nunca mais se recuperou realmente, quando duas mãos de um esqueleto pousaram em seus ombros enquanto ela se vestia para o jantar, e sinto-me inclinado a lhe dizer, senhor Otis, que o fantasma já foi visto por muitos membros ainda vivos de minha família, assim como pelo pároco, o reverendo Augustus Dampier, que é ligado à King's College, em Cambridge. Depois do infeliz incidente com a duquesa, nenhum de nossos criados mais jovens quis ficar conosco, e Lady Canterville com frequência dormia mal à noite, em decorrência dos misteriosos ruídos que vinham do corredor e da biblioteca.

– Meu Lord – respondeu o ministro –, pelo valor combinado, levarei a mobília e o fantasma. Venho de um país moderno, onde temos tudo que o dinheiro pode comprar. E, com os nossos jovens cheios de energia sacudindo o Velho Mundo e levando embora seus melhores atores e suas *prima-donnas*, entendo que, se houvesse algo como um fantasma na Europa, nós rapidamente o colocaríamos em um de nossos museus públicos, ou, talvez, como uma atração itinerante, talvez.

– Receio que o fantasma exista – disse Lord Canterville, sorrindo –, embora ele possa ter resistido às ofertas de seus destemidos empreendedores. Ele é bem conhecido há três séculos, desde 1584, na verdade, e sempre aparece antes da morte de algum membro de sua família.

– Bem, da mesma forma que o médico da família, Lord Canterville. Mas não existe nada disso de fantasma, senhor, e acredito que as leis da natureza não serão suspensas para a aristocracia britânica.

– Vocês da América são certamente muito naturalistas – respondeu Lord Canterville, que não entendera bem a última observação do senhor Otis –, e, se o senhor não liga para um fantasma em casa, está tudo bem. Só precisa se lembrar de que eu o avisei.

Algumas semanas depois, a aquisição foi concluída, e ao final da estação o ministro e sua família se mudaram para a propriedade de Canterville. A senhora Otis, que, como senhorita Lucretia R. Tappan da rua 53 Oeste, havia sido uma celebrada beldade de Nova York, era agora uma mulher de meia-idade muito bonita, com lindos olhos e um perfil soberbo. Muitas damas americanas, ao deixarem sua terra natal, assumem uma aparência de saúde bastante debilitada, pensando se tratar de uma forma de refinamento europeu, mas a senhora Otis jamais cometera esse erro. Tinha uma constituição magnífica e uma maravilhosa dose de energia vital. Na verdade, em muitos aspectos ela era bastante inglesa e constituía um excelente exemplo de que realmente temos muito em comum com a América hoje em dia, exceto, é claro, a língua. Seu filho mais velho, batizado de Washington pelos pais em um rompante de patriotismo, algo que ele nunca deixou de lamentar, era um bonito rapaz de cabelos louros, que se graduou para a diplomacia americana ao levar os alemães ao Cassino Newport por três temporadas seguidas, e era bem conhecido como um excelente dançarino até mesmo em Londres. Gardênias e a nobreza eram suas únicas fraquezas. No mais, ele era extremamente sensível. A senhorita Virginia E. Otis era uma garota de 15 anos, branda e adorável como uma corça, com grandes olhos azuis que dardejavam liberdade. Era uma amazona magnífica e, certa vez, havia disputado com seu pônei uma corrida de duas voltas no parque contra o velho Lord Bilton, vencendo por um corpo e meio bem em frente à estátua de Aquiles, para enorme deleite do jovem Duque de Cheshire, que pediu a mão dela lá mesmo e foi enviado de volta a Eton naquela mesma noite por seus tutores, banhado em lágrimas. Depois de Virginia vinham os gêmeos, que eram comumente chamados de "Estrelas e Listras", porque estavam sempre apanhando. Eram meninos adoráveis e, com exceção do valoroso ministro, os únicos verdadeiros republicanos da família.

Como a propriedade de Canterville fica a mais de onze quilômetros de Ascot, a estação de trem mais próxima, o senhor Otis havia telegrafado pedindo para que uma carruagem os buscasse, para iniciarem a viagem com ótimo ânimo. Era um adorável anoitecer de julho, e no ar delicado espalhava-se o aroma dos pinheiros. Vez por outra eles ouviam um pombo da floresta fascinado por seu próprio canto doce, ou viam, nas profundezas das folhagens que farfalhavam, o peito reluzente de um faisão. Esquilinhos os espreitavam das faias enquanto a família passava, e os coelhos disparavam em meio aos arbustos e pelos cimos musgosos com seus rabichos brancos no ar. Ao entrarem na alameda da propriedade de Canterville, no entanto, o céu se tornou subitamente carregado de nuvens, uma estranha quietude apoderou-se da atmosfera, uma revoada de gralhas passou sobre suas cabeças e, antes de chegarem à casa, pesadas gotas começaram a cair.

De pé nos degraus, esperando para recebê-los, estava uma velha mulher, vestida cuidadosamente com seda preta, uma touca e um avental brancos. Era a senhora Umney, a governanta que a senhora Otis, diante do mais sincero pedido de Lady Canterville, havia consentido em manter na mesma posição. Ela fez a cada um deles uma ligeira mesura, quando apearam, e disse-lhes numa forma pitoresca e à moda antiga:

– Dou-lhes as boas-vindas à propriedade de Canterville.

Seguindo-a, eles atravessaram o belo *hall* Tudor e entraram na biblioteca, uma sala longa e baixa, revestida com carvalho-negro, em cuja extremidade havia um grande vitral. Lá, encontraram o chá posto à sua espera e, depois de retirarem os casacos, sentaram-se e começaram a olhar ao redor, enquanto a senhora Umney os servia.

De súbito, a senhora Otis avistou uma mancha vermelha opaca no piso perto da lareira e, um tanto inconsciente de seu verdadeiro significado, disse à senhora Umney:

– Receio que algo tenha sido derramado ali.

– Sim, madame – respondeu a velha governanta em uma voz baixa –, sangue foi derramado naquele lugar.

– Que horror! – exclamou a senhora Otis. – Não quero de modo algum manchas de sangue em uma sala de estar. Deve ser removida imediatamente.

A velha mulher sorriu e respondeu com a mesma voz baixa e misteriosa:

– É o sangue de Lady Eleanore de Canterville, que foi assassinada naquele lugar pelo próprio marido, o Sir Simon de Canterville, em 1575. Sir Simon ainda viveu por nove anos e desapareceu de repente sob circunstâncias muito misteriosas. Seu corpo jamais foi encontrado, mas seu espírito culpado ainda assombra a propriedade. A mancha de sangue costuma ser muito admirada por turistas e outros curiosos e não pode ser removida.

– Isso tudo é bobagem – exclamou Washington Otis. – O removedor de manchas Campeão de Pinkerton e o detergente Perfeição vão limpá-la em um segundo. – E, antes que a aterrorizada governanta pudesse intervir, ele já estava de joelhos e esfregava rapidamente o piso com um bastonete do que parecia ser um produto preto. Após alguns instantes, não havia mais traço nenhum da mancha vermelha.

– Eu sabia que o Pinkerton resolveria – ele exclamou triunfante enquanto olhava ao redor para a família admirada; mas, assim que disse essas palavras, um terrível clarão de relâmpago atingiu a sala sombria. Um estrondo fez com que se erguessem num sobressalto, e a senhora Umney desmaiou.

– Que clima monstruoso! – disse o ministro americano, calmamente, enquanto acendia um longo charuto. – Imagino que este velho país seja populoso de tal forma que não exista um tempo decente para todo mundo. Sempre fui da opinião de que a emigração é a única saída para a Inglaterra.

– Meu Hiram querido – exclamou a senhora Otis –, o que podemos fazer com uma mulher que desmaia?

– Cobrar dela como se fosse uma indenização – respondeu o ministro. – Ela não vai mais desmaiar depois disso. – E, em um momento, a senhora Umney voltou a si. Não havia dúvidas, entretanto, de que ela estivesse extremamente aborrecida, e com severidade advertiu o senhor Otis para que tomasse cuidado com problemas vindouros na casa.

– Vi com os meus próprios olhos, senhor – ela disse –, coisas que arrepiariam os cabelos de qualquer cristão e, por muitas e muitas noites, não peguei no sono por causa das coisas horripilantes que acontecem aqui.

O senhor Otis e sua esposa, no entanto, com ternura garantiram àquela alma honesta que não tinham medo de fantasmas, e, após invocar as bênçãos da Providência sobre seus novos patrões, e depois de fazer os arranjos para um aumento de salário, a velha governanta cambaleou para seu próprio quarto.

2

A tempestade vociferou ferozmente durante toda aquela noite, mas nada de estranho aconteceu. Na manhã seguinte, no entanto, quando eles desceram para o café da manhã, encontraram a terrível mancha de sangue mais uma vez no piso.

– Não acho que possa ser culpa do detergente Perfeição – disse Washington – porque eu o experimentei com tudo. Deve ser o fantasma. – Diligentemente, ele esfregou a mancha uma segunda vez, mas na manhã seguinte ela apareceu de novo. Na terceira manhã, também estava lá, apesar de a biblioteca ter sido trancada à noite pelo próprio senhor Otis, que levou a chave para cima. Toda a família estava agora bastante interessada; o senhor Otis começou a suspeitar de que ele havia sido dogmático demais ao negar a existência de fantasmas, a senhora Otis expressou sua intenção de se juntar à Sociedade Psíquica, e Washington preparou uma longa carta para os senhores Myers e Podmore sobre o tema da "permanência de manchas sanguíneas quando conectadas com crimes". E, naquela noite, todas as dúvidas sobre a existência objetiva de *phantasmata* seriam removidas para sempre.

O dia havia sido quente e ensolarado; e, durante o ameno anoitecer, toda a família saiu para um passeio.

Não voltaram antes das nove horas da noite, quando fizeram uma refeição leve. A conversa de modo algum foi sobre fantasmas, então não havia sequer as condições primárias de expectativa receptiva que, com tanta frequência, precedem a manifestação de fenômenos psíquicos. Os assuntos debatidos, conforme eu viria a saber pelo senhor Otis, foram apenas aqueles que costumam constituir a conversa trivial de americanos cultos das classes mais altas, como a imensa superioridade da senhorita Fanny Davenport em comparação a Sarah Bernhardt como atriz; a dificuldade de se obter milho verde, bolo de trigo-sarraceno e canjica, mesmo nos melhores armazéns ingleses; a importância de Boston para o desenvolvimento do mundo; as vantagens do sistema de despacho de bagagem em viagens ferroviárias; e a doçura do sotaque de Nova York quando comparado à fala arrastada londrina. Nenhuma menção foi feita ao sobrenatural, tampouco foi feita qualquer alusão ao Sir Simon de Canterville. Às onze da noite a família se retirou e, após cerca de meia hora, as luzes foram apagadas. Algum tempo depois, o senhor Otis foi acordado por um barulho estranho no corredor, do lado de fora de seu quarto. Era como o retinir de metal e parecia se aproximar a cada segundo. Ele se levantou de uma vez, acendeu um fósforo e olhou o relógio. Era exatamente uma hora da madrugada. Ele estava bem calmo e sentiu o próprio pulso, que de modo algum estava febril. O estranho ruído persistia, e com ele ouvia-se o distinto som de passadas. O senhor Otis colocou seus chinelos, pegou um pequeno frasco oblongo em uma maleta e abriu a porta. Bem à sua frente, viu, sob o pálido luar, um velho de aspecto terrível. Os olhos estavam vermelhos como carvão em brasa; longos cabelos grisalhos tombavam sobre os ombros em espirais emaranhadas; as vestes, que eram de um talho antigo, estavam puídas e esfarrapadas; e dos punhos e tornozelos pendiam pesadas manilhas e grilhões enferrujados.

– Meu caro senhor – disse o senhor Otis –, preciso realmente insistir que lubrifique essas correntes e, para isso, lhe trouxe uma pequena garrafa do lubrificante Tammany Sol Nascente. Dizem que é completamente eficaz com apenas uma aplicação, e na embalagem há vários depoimentos de nossos mais eminentes clérigos sobre isso. Vou deixá-lo aqui para o senhor, ao lado do castiçal do quarto, e ficarei feliz por lhe fornecer mais, caso seja necessário.

Com essas palavras, o ministro dos Estados Unidos colocou o frasco em uma mesa de mármore e, fechando a porta, retirou-se para dormir.

Por um momento, o Fantasma de Canterville permaneceu imóvel devido a uma indignação natural; então, lançando o frasco violentamente contra o assoalho polido, fugiu pelo corredor, proferindo gemidos ocos e emitindo uma pavorosa luz verde. No entanto, assim que chegou ao topo da grande escadaria de carvalho, uma porta abriu-se com violência; duas pequeninas figuras vestidas de branco apareceram e um grande travesseiro passou zunindo ao lado de sua cabeça! Evidentemente não havia tempo a perder; então, adotando depressa a quarta dimensão do espaço como meio de fuga, ele desapareceu pelos lambris, e a casa voltou a ficar bem silenciosa.

Ao alcançar uma pequena câmara secreta na ala esquerda da casa, o Fantasma se recostou contra um raio de luar para recuperar o fôlego e começou a tentar compreender a situação. Jamais, durante uma brilhante e ininterrupta carreira de trezentos anos, fora insultado de forma tão grosseira. Pensou na duquesa viúva, a quem assustara da maneira mais terrível quando ela estava diante do espelho com seu colar e seus diamantes; pensou nas quatro arrumadeiras, que tinham ficado histéricas quando ele meramente sorrira mostrando-lhes os dentes de trás das cortinas de um dos quartos de hóspedes; pensou no pároco, cuja vela havia soprado quando voltava tarde da noite da biblioteca e que estava desde então sob os cuidados de Sir William Gull, como um perfeito mártir das desordens mentais; e pensou na velha madame de Tremouillac, que, ao acordar cedo numa manhã e ver um esqueleto sentado em uma poltrona perto da lareira lendo seu diário, havia sido confinada à própria cama por seis semanas por causa de um ataque de delírios e, ao se recuperar, reconciliara-se com a Igreja e cortara relações com aquele notório cético, monsieur de Voltaire. Lembrou-se da terrível noite quando o perverso Lord Canterville fora encontrado engasgando em seu quarto de vestir, com o valete de ouros entalado na garganta, depois confessara, pouco antes de morrer, que havia trapaceado contra Charles James Fox em um jogo valendo cinquenta mil libras no Crockford, com aquela mesma carta, e jurara que o fantasma o fizera engoli-la. Todos os grandes feitos vieram-lhe novamente à lembrança: do mordomo que havia atirado em si mesmo na despensa porque vira uma mão verde estapeando a janela à bela Lady Stutfield, que fora obrigada a usar uma tira negra de veludo ao redor da garganta, para esconder as marcas de cinco dedos cauterizados na pele, e que finalmente se afogara no lago das carpas no final da King's Walk. Com o ego inflado do verdadeiro artista, revisitou suas performances mais celebradas e sorriu amargamente para si mesmo ao evocar mentalmente a última aparição como "Reuben Vermelho, ou a Criança Estrangulada", o *début* como "Gibeon Descarnado, o Chupador de Sangue de Bexley Moor" e o furor que causara em um adorável anoitecer de junho ao simplesmente jogar boliche com seus próprios ossos na quadra de tênis. E, depois de tudo isso, vinham alguns malditos americanos oferecer a ele o lubrificante Sol Nascente e arremessar travesseiros em sua cabeça! Isso era totalmente insuportável. Ademais, nenhum fantasma na história havia sido tratado dessa forma. Em consequência, resolveu se vingar e permaneceu até o amanhecer em uma postura de profunda reflexão.

3

Na manhã seguinte, quando a família Otis se encontrou para o café da manhã, eles conversaram por algum tempo sobre o fantasma. Naturalmente, o ministro dos Estados Unidos ficou um pouco contrariado ao descobrir que seu presente não tinha sido aceito.

– Não tenho desejo – disse – de causar qualquer mal ao fantasma e devo dizer que, considerando o tempo que ele está na casa, não considero de forma alguma educado arremessar-lhe travesseiros. Uma afirmação muito justa, à qual, lamento dizer, os gêmeos irromperam em gargalhadas. – Por outro lado – prosseguiu –, se ele realmente se recusa a usar o lubrificante Sol Nascente, nós teremos que tirar-lhe as correntes. Seria impossível dormir com um barulho daquele do lado de fora dos quartos.

Pelo restante da semana, entretanto, eles não foram perturbados, sendo que a única coisa a atrair qualquer atenção foi o contínuo reaparecimento da marca de sangue no piso da biblioteca. Isso certamente era muito estranho, já que a porta era sempre trancada à noite pelo senhor Otis e as janelas eram mantidas fechadas com barras. As cores camaleônicas da mancha também atraíram um número razoável de comentários. Em algumas manhãs era um vermelho opaco, quase indiano; a seguir assumia um vermelho profundo, então um roxo vibrante e, certa vez, quando eles desceram para as preces familiares conforme os ritos simples da Livre Igreja Episcopal Reformada Americana, encontraram uma brilhante mancha de cor verde-esmeralda. É claro, essas mudanças caleidoscópicas divertiam muito o grupo, e apostas sobre elas eram feitas deliberadamente todas as noites. A única pessoa que não entrava na brincadeira era Virginia, que, por alguma razão desconhecida, ficava sempre um bocado perturbada com a visão da mancha de sangue e, por muito pouco, não gritou na manhã em que ela estava verde-esmeralda.

A segunda aparição do fantasma aconteceu na noite de domingo. Pouco depois de terem ido dormir, eles foram subitamente acordados por um terrível estrondo no *hall*. Após descerem correndo, viram que uma grande e velha armadura fora removida de seu suporte e caíra no piso de pedras, enquanto que, sentado em uma cadeira de encosto alto, estava o Fantasma de Canterville esfregando os joelhos com uma expressão de intensa agonia no rosto. Como os gêmeos haviam trazido suas zarabatanas, dispararam imediatamente duas bolotas nele, com aquela apurada mira que só pode ser obtida por meio de uma longa e cuidadosa prática em um professor de caligrafia, enquanto o ministro dos Estados Unidos apontava-lhe seu revólver e, agindo de acordo com a etiqueta californiana, ordenava que levantasse as mãos! O fantasma se ergueu com um desvairado guincho de fúria e esvoaçou por eles como uma névoa, apagando a vela de Washington Otis ao passar e, assim, deixando-os na escuridão total. Ao chegar ao topo da escadaria, ele se recompôs e decidiu soltar sua celebrada e estrondosa risada demoníaca. Em mais de uma ocasião, ele considerara esse recurso extremamente útil. Dizia-se que havia tornado grisalha a peruca de Lord Taker, em uma única noite, e certamente havia feito com que três governantas francesas de Lady Canterville pedissem dispensa antes do final do mês. Assim, ele riu sua risada mais horrível, até que o velho teto abobadado reverberasse e reverberasse de novo, mas o pavoroso eco nem sequer havia passado quando uma porta se abriu e a senhora Otis surgiu em um roupão azul-claro.

– Receio que o senhor não esteja nada bem – ela disse –, por isso trouxe um frasco do extrato do doutor Dobell. Caso seja indigestão, o senhor encontrará nele um excelente remédio.

O fantasma fitou-a, furioso, e começou imediatamente a se preparar para se transformar em um grande cão negro, uma façanha pela qual ele era com justiça reconhecido, e à qual o médico da família sempre atribuía a idiotia permanente do tio de Lord Canterville, o ilustre Thomas Horton. No entanto, o ruído de passos se aproximando fez com que hesitasse em seu cruel objetivo, então ele se contentou em se tornar vagamente fosforescente, desaparecendo com um profundo e mórbido gemido, justo quando os gêmeos se aproximavam.

Após chegar a seu quarto, desabou e se tornou presa da mais violenta agitação. A vulgaridade dos gêmeos e o grosseiro materialismo da senhora Otis eram decerto extremamente irritantes, mas o que mais o perturbou foi não ter sido capaz de vestir a cota de malha. Tivera a esperança de que mesmo americanos modernos ficariam assustados com a visão de um espectro em uma armadura, se não por um motivo mais sensato, ao menos por respeito ao seu poeta nato Longfellow, sobre cuja poesia graciosa e atraente o próprio fantasma havia se debruçado nas muitas horas tediosas em que os Canterville estavam na cidade. Ademais, era a sua própria armadura. Ele a usara com grande sucesso no torneio de Kenilworth e fora condecorado por ninguém menos do que a própria rainha virgem. Não obstante, quando a vestiu, fora totalmente subjugado pelo peso do imenso peitoral e do elmo de aço e tombara no pavimento de pedra, esfolando gravemente os joelhos e ferindo as articulações da mão direita.

Durante alguns dias depois disso, ele esteve muito mal e quase não saiu de seu quarto, a não ser para manter a mancha de sangue em bom estado. Entretanto, por cuidar-se bem, recuperou-se e resolveu fazer uma terceira tentativa de assustar o ministro dos Estados Unidos e sua família. Escolheu a sexta-feira, 17 de agosto, para sua aparição e passou a maior parte daquele dia avaliando o guarda-roupa, optando enfim por um chapéu grande e de abas baixas com uma pena vermelha, uma mortalha com pregas nos punhos e no pescoço e uma adaga enferrujada. Ao anoitecer, uma violenta tempestade irrompeu, e o vento uivava tão alto que as janelas e portas da velha casa sacudiam e rangiam. Na verdade, era justamente o clima que ele amava. Seu plano de ação era o seguinte: iria entrar silenciosamente no quarto de Washington Otis, grunhir sons sem sentido ao pé da cama e esfaqueá-lo três vezes na garganta ao som de música lenta. Nutria por Washington um rancor especial, tendo total consciência de que era ele quem tinha o hábito de remover a famosa mancha de sangue dos Canterville com o detergente Perfeição de Pinkerton. Após reduzir o imprudente e temerário adolescente a um estado de abjeto terror, seguiria até o quarto ocupado pelo ministro dos Estados Unidos e sua esposa, onde pousaria uma mão pegajosa na testa da senhora Otis enquanto ciciava no ouvido de seu trêmulo marido os medonhos segredos da sepultura. Já com relação à pequena Virginia, ele não havia se decidido. Ela nunca o insultara de nenhuma forma e era bela e gentil. Alguns gemidos cavernosos do guarda-roupa, pensou, seriam mais do que suficientes, ou, caso falhassem em despertá-la, ele poderia agarrar sua colcha com os dedos retorcidos e espasmódicos. Quanto aos gêmeos, estava bem decidido a dar-lhes uma lição. A primeira coisa a fazer, claro, era sentar em seus peitos, de modo a produzir sufocantes sensações de pesadelo. Então, como suas camas eram próximas uma da outra, ele se colocaria entre ambos na forma de um esverdeado e gélido cadáver, até que os dois ficassem paralisados pelo medo, e finalmente se livraria da mortalha e rastejaria pelo quarto, com ossos muito brancos e um globo ocular recaído, no papel de "Daniel Estúpido, o Esqueleto do Suicídio", um papel com o qual mais de uma vez havia produzido grande efeito e que considerava bastante equivalente ao famoso papel de "Martin, o Maníaco, ou o Mistério Mascarado".

Às dez e meia, ele ouviu a família indo dormir. Por algum tempo foi incomodado pela estridência desvairada das risadas dos gêmeos, que, com a alegria despreocupada da meninice, evidentemente estavam aprontando antes de se recolherem para descansar, mas às onze e quinze tudo estava quieto, e quando soou a meia-noite ele saiu. A coruja piava contra as vidraças, o corvo crocitava no velho teixo, e o vento vagava pela casa gemendo como uma alma penada; mas a família Otis dormia sem ter consciência de seu destino. Muito mais alto do que a chuva e os trovões ele ouvia o ronco contínuo do ministro dos Estados Unidos. Saiu furtivamente dos lambris com um sorriso malévolo na boca cruel e encarquilhada, e a lua escondeu seu rosto em uma nuvem quando ele passou pela grande janela da sacada, adornada em azul-celeste e ouro com seu brasão e o de sua mulher assassinada. Adiante ele flutuava como uma sombra má, a própria escuridão parecendo encher-se de repugnância enquanto passava. Uma vez pensou ter ouvido algo o chamando e parou; mas era apenas o latido de um cachorro da Fazenda Vermelha, e ele seguiu em frente, balbuciando estranhas maldições do século XVI, brandindo a adaga enferrujada e golpeando-a no ar da meia-noite. Enfim chegou à extremidade do corredor que conduzia ao quarto do infeliz Washington. Por um momento, parou ali; o vento soprando seus longos e grisalhos cachos ao redor da cabeça e revirando, em ondas grotescas e fantásticas, o inominável horror de sua mortalha. Então o relógio bateu o quarto de hora, e ele sentiu que havia chegado o momento. Riu para si mesmo e entrou no corredor; tão logo o fez, caiu para trás com um comovente lamento de horror, escondendo o rosto descarnado nas mãos longas e ossudas. Bem à sua frente estava um espectro hediondo, imóvel como uma estátua e monstruoso como o sonho de um louco! Sua cabeça era calva e translúcida; seu rosto, redondo, gordo e branco; e medonhas risadas pareciam ter distorcido seus traços num eterno sorriso de escárnio. Dos olhos fluíam raios de luz escarlate; a boca era um vasto fosso de fogo, e um traje medonho como o dele próprio recobria com neve silenciosa aquela forma titânica. Em seu peito havia uma placa com estranhos escritos em caracteres antigos, parecendo alguma insígnia da vergonha, algum registro de pecados bestiais, alguma terrível data de um crime; e, em sua mão direita, havia desembainhada uma cimitarra de aço reluzente.

Por nunca ter visto um fantasma antes, ele naturalmente ficou muito assustado e, depois de uma segunda e rápida espiada no medonho espectro, fugiu para seu quarto, tropeçando na longa mortalha enquanto acelerava pelo corredor e até deixando cair a adaga dentro de uma das botas de cano alto do ministro, onde ela foi encontrada de manhã pelo mordomo. Já na privacidade de seu aposento, ele se atirou em um pequeno catre e escondeu o rosto em meio às vestimentas. Depois de algum tempo, no entanto, o velho e corajoso espírito dos Canterville voltou ao comando e decidiu ir falar com o outro fantasma logo que raiasse o dia. Assim, quando a aurora estava tingindo de prata os morros, ele voltou ao ponto onde pela primeira vez havia posto os olhos na pavorosa aparição, concluindo que, afinal, dois fantasmas eram melhores do que um e que, com a ajuda de seu novo amigo, seguramente poderia lidar com os gêmeos. Quando alcançou o local, no entanto, deparou-se com uma visão terrível. Algo evidentemente tinha acontecido ao espectro, porque a luz havia se apagado por inteiro de seus olhos vazios, a cimitarra reluzente havia tombado de sua mão e ele estava inclinado contra a parede em uma atitude tensa e desconfortável. O Fantasma de Canterville correu e pegou-o nos braços, quando, para seu horror, a cabeça escorregou e rolou para o chão. O corpo assumiu uma posição reclinada, e ele se viu agarrando uma cortina de dossel branca, tendo aos seus pés uma vassoura, um cutelo e um nabo! Incapaz de compreender a curiosa transformação, ele agarrou a placa com uma urgência febril e nela, à luz cinzenta da manhã, leu as seguintes palavras assustadoras:

FANTASMA OTIS

O único verdadeiro espectro,
Cuidado com imitações
Todos os outros são falsificados[1]

Tudo ficou claro como um raio. Ele havia sido enganado, frustrado, feito de tolo! O velho olhar dos

---

1   A mensagem na placa é grafada em inglês antigo:
"YE OTIS GHOSTE
Ye Onlie True and Originale Spook,
Beware of Ye Imitationes.
All others are counterfeite."
(N. do T.)

Canterville irrompeu em seus olhos; as gengivas desdentadas rangeram e, erguendo a mão descarnada bem acima da cabeça, ele jurou de acordo com o pitoresco palavreado dos tradicionalistas que, quando o Chantecler tivesse soado duas vezes seu jovial clarim, atos de sangue seriam forjados e o assassinato caminharia a passadas largas com seus pés silentes.

Mal havia ele concluído este terrível juramento quando, das telhas vermelhas de uma herdade distante, um galo cantou. Ele riu uma risada longa, grave e amarga e aguardou. Hora após hora aguardou, mas o galo, por algum estranho motivo, não cantou novamente. Enfim, às sete e meia da manhã, a chegada das criadas fez com que o fantasma desistisse de sua aterrorizante vigília, e ele se esgueirou de volta ao quarto, pensando em seu juramento em vão e em seus objetivos frustrados. Lá, consultou vários livros de cavalaria antiga, dos quais gostava excessivamente, e descobriu que, em todas as ocasiões nas quais esse juramento fora feito, o galo Chantecler sempre cantara uma segunda vez.

– Que a maldição agarre o danado daquele frangote – murmurou. – Posso ver o dia em que, com minha lança de robusto aço, terei lhe trespassado a garganta para fazer com que cante um cântico de morte!

Então, ele se retirou para um confortável caixão de chumbo e permaneceu lá até o anoitecer.

4

No dia seguinte, o fantasma estava muito fraco e cansado. A terrível agitação das últimas quatro semanas começava a surtir efeito. Seus nervos estavam completamente aniquilados, e ele se sobressaltava com o mais leve ruído. Por cinco dias ficou no quarto e, enfim, resolveu desistir da mancha sanguínea no assoalho da biblioteca. Se a família Otis não a queria, claramente não a merecia. Por certo eram pessoas pertencentes a um plano de existência pouco elevado e material, totalmente incapazes de apreciar o valor simbólico de fenômenos sensoriais. É claro que a questão das aparições fantasmagóricas e do desenvolvimento de corpos astrais era um assunto bem diferente e, de fato, não estava sob seu controle. Era seu dever solene aparecer no corredor uma vez por semana e emitir garatujas na grande janela da sacada na primeira e na terceira quartas-feiras de cada mês, e ele não via como poderia escapar de forma honrada de suas obrigações. Sua vida fora bastante má, era bem verdade, mas, por outro lado, ele tinha muita ciência de todas as coisas relacionadas ao sobrenatural. Assim, nos três sábados seguintes, ele atravessou o corredor como de costume entre meia-noite e três horas, tomando todas as precauções possíveis para não ser ouvido ou visto. Descalçou as botas, caminhando o mais suavemente possível pelas placas roídas por cupins, vestiu um grande manto preto de veludo e cuidou de usar o lubrificante Sol Nascente para desenferrujar suas correntes. Devo reconhecer que essa última modalidade de proteção causou a ele um bom punhado de relutância. Entretanto, certa noite, quando a família jantava, ele deslizou até o quarto do senhor Otis e pegou o frasco. Sentiu-se um pouco humilhado no início, mas depois mostrou-se sensato o bastante para perceber que se tratava de uma tremenda invenção e que, até certo ponto, ela servia ao seu objetivo. Mesmo assim, apesar de tudo, não deixaram de molestá-lo. Cordas eram constantemente esticadas entre as paredes do corredor para que ele tropeçasse no escuro e, em uma ocasião, quando estava vestido para o papel de "Isaac Negro, ou o Caçador dos Bosques de Hogley", sofreu uma grave queda ao pisar em um rastro de manteiga deixado pelos gêmeos, que ia da entrada da sala da tapeçaria até o topo da escadaria de carvalho. Essa última ofensa o enfureceu tanto que ele resolveu empreender um último esforço para reafirmar sua dignidade e posição social: decidiu visitar os insolentes jovens estudantes de Eton na próxima noite, em sua famosa personificação de "Rupert Rubicundo, ou o Conde Sem Cabeça".

Ele não fazia aparições nesse disfarce havia mais de setenta anos; na verdade, não desde que pregara tamanho susto na linda Lady Barbara Modish, que ela imediatamente terminara o noivado com o avô do atual Lord Canterville e fugira para Gretna Green com o galante Jack Castletown, declarando que nada no mundo a faria entrar para uma família que permitia a um fantasma tão medonho andar para cima e para baixo pelo terraço ao crepúsculo. Depois, o pobre Jack fora morto em um duelo por Lord Canterville em Wandsworth Common, e Lady Barbara padecera de um coração partido em Tunbridge Wells antes que o ano terminasse; então, em todos os níveis, havia sido um enorme sucesso. Tratava-se, contudo, de uma maquiagem extremamente difícil, se é que posso usar uma expressão tão teatral para designar os maiores mistérios do sobrenatural, ou, empregando um termo mais científico, do mundo supranatural, e o fantasma levou três horas para se preparar. Enfim tudo estava pronto, e ele ficou muito satisfeito com a própria aparência. Apenas as grandes botas de couro de montaria que compunham o traje estavam um pouco grandes demais, e ele só conseguiu encontrar uma das duas pistolas de cavalaria; mas, no geral, estava bem satisfeito, e à uma e quinze deslizou para fora dos lambris e arrastou-se pelo corredor. Quando chegou ao quarto ocupado pelos gêmeos, que, devo mencionar, era chamado de "Aposento Azul" devido à cor das cortinas, encontrou a porta entreaberta. Desejando realizar uma entrada impactante, ele a abriu com violência; foi quando um pesado jarro com água atingiu-lhe em cheio, molhando-o dos pés à cabeça e passando a poucos centímetros de seu ombro esquerdo. No mesmo instante, ele ouviu risadas sufocadas vindas das camas de quatro colunas. O choque em seu sistema nervoso foi tão grande que acabou fugindo para seu quarto o mais rápido que pôde e, no dia seguinte, esteve de cama devido a um forte resfriado. A única coisa que o consolava naquilo tudo era o fato de que não havia levado a própria cabeça consigo; pois, se o tivesse feito, as consequências poderiam ter sido muito graves.

Ele agora havia abandonado todas as esperanças de assustar a rude família americana e contentou-se, via de regra, em se arrastar pelos corredores de chinelos listrados, com um grosso cachecol vermelho envolvendo a garganta, por medo de apanhar correntes de ar, e um pequeno arcabuz, para o caso de ser atacado pelos gêmeos. O golpe final que recebeu ocorreu em 19 de setembro. Ele tinha descido para o grande *hall* de entrada, sentindo-se seguro de que, fosse como fosse, não seria mais perturbado, e estava se divertindo ao proferir comentários satíricos sobre as grandes fotografias feitas por Saroni do ministro dos Estados Unidos e de sua esposa, que agora ocupavam o lugar das pinturas da família Canterville. Estava simples, mas cuidadosamente envolto em um longo sudário manchado com mofo de cemitério; havia amarrado o queixo com uma fita de linho amarelo e carregava uma pequena lamparina e uma pá de coveiro. Na verdade, estava vestido de "Jonas Sem Cova, ou o Ladrão de Corpos de Chertsey Barn", uma de suas mais impressionantes caracterizações, e uma que os Canterville tinham todos os motivos para lembrar, já que fora ela a verdadeira origem da disputa com o vizinho, Lord Rufford. Eram cerca de duas e quinze da manhã e, até onde ele podia verificar, não havia movimento algum. No entanto, quando estava perambulando rumo à biblioteca, para ver se havia lá qualquer traço da mancha de sangue, de súbito saltaram sobre ele duas figuras vindas de um canto escuro, agitando enlouquecidamente os braços sobre as cabeças e gritando "BUUU!" em seu ouvido.

Tomado pelo pânico que, naquelas circunstâncias, era muito natural, ele correu até a escadaria, mas lá encontrou Washington Otis esperando-o com a grande mangueira do jardim; assim encurralado por seus inimigos de todos os lados, quase sendo apanhado, desapareceu dentro da grande estufa de ferro, que, felizmente para ele, não estava acesa, e teve que encontrar seu caminho em meio aos canos e às chaminés, chegando ao próprio quarto em um terrível estado de sujeira, desordem e desespero.

Depois disso, não foi mais visto em expedições noturnas. Os gêmeos ficavam de tocaia esperando-o em várias ocasiões e, todas as noites, espalhavam cascas de nozes pelos corredores, para grande irritação dos pais e dos empregados, mas isso não servia de nada. Ficou bem evidente que os sentimentos do fantasma foram tão feridos que ele não apareceria mais. O senhor Otis consequentemente retomou sua grande obra sobre a história do Partido Democrata, na qual estivera envolvido por alguns anos; a senhora Otis organizou um maravilhoso jantar de frutos do mar, que encantou toda a região; os rapazes foram jogar *lacrosse*, *euchre*[2], poker e outros jogos típicos americanos, e Virginia cavalgava pelas alamedas em seu pônei, acompanhada pelo jovem duque de Cheshire,

---

2   Jogo de cartas que, no século XIX, era bastante apreciado nos Estados Unidos e em outros países anglófonos. (N. do T.)

que havia vindo passar a última semana de suas férias na propriedade Canterville. No geral, assumiu-se que o fantasma havia ido embora e, com efeito, o senhor Otis escreveu uma carta a esse respeito para Lord Canterville, que, em resposta, exprimiu grande prazer com as notícias e enviou os melhores cumprimentos à digna esposa do ministro.

Os Otis, no entanto, estavam enganados, porque o fantasma ainda permanecia na casa e, apesar de agora ser quase um inválido, de forma alguma estava disposto a deixar o assunto para lá, principalmente depois de ouvir que entre os convidados estava o jovem duque de Cheshire, cujo tio-avô, Lord Francis Stilton, certa vez apostara cem guinéus com o coronel Cardbury que jogaria dados com o Fantasma de Canterville e foi encontrado, na manhã seguinte, estirado no piso do salão de jogos em um estado de paralisia tão lamentável que, apesar de ter vivido por muito tempo depois disso, jamais fora capaz de dizer algo além de "duplo seis". A história ficou bem conhecida na época, embora, é claro, em respeito aos sentimentos das duas nobres famílias, tivessem sido realizados todos os esforços para abafá-la, e um relato completo das circunstâncias ligadas a ela pode ser encontrado no terceiro volume de *As Recordações do Príncipe Regente e seus Amigos*, de Lord Tattle. Por isso, o fantasma estava naturalmente muito ansioso para mostrar que ainda não havia perdido sua influência sobre os Stilton, de quem, na verdade, era um parente distante, já que sua prima em primeiro grau havia se casado em *secondes noces*[3] com o Sieur de Bulkeley, de quem, como todos sabem, descende a linhagem dos duques de Cheshire. Assim sendo, ele realizou arranjos para aparecer ao namoradinho de Virginia em sua celebrada caracterização de "O Monge Vampiro, ou O Beneditino Exangue", uma performance tão horrível que, quando Lady Startup a vira, o que acontecera na fatídica noite de Ano-novo de 1764, irrompera nos mais agudos gritos, que culminaram em uma violenta apoplexia, e morrera dali a três dias, após ter deserdado os Canterville, que eram seus parentes mais próximos, e deixado todo o dinheiro para o seu boticário de Londres. No último momento, contudo, o terror que sentia dos gêmeos impediu-o de deixar o quarto, e o pequeno duque dormiu em paz, sob o grande cobertor de penas no Aposento Real, e sonhou com Virginia.

---

3   Segundas núpcias. (N. do T.)

5

Alguns dias depois, Virginia e seu cavaleiro de cabelos cacheados saíram para cavalgar pelos prados de Brockley, onde, ao passarem por uma cerca viva, ela arruinou sua capa de tal forma que, ao voltarem para casa, decidiu entrar pelas escadas de trás para não ser vista. Quando passava correndo pela ala da tapeçaria, cuja porta calhou de estar aberta, ela imaginou ter visto alguém e, pensando ser a empregada da mãe, que às vezes costumava trabalhar ali, voltou para pedir que emendasse sua capa. Para sua imensa surpresa, no entanto, ali estava o próprio Fantasma de Canterville sentado à janela, observando o dourado arruinado das árvores amarelecidas flanar pelo ar e as folhas vermelhas dançarem desvairadas ao longo da vasta alameda. Apoiava a cabeça na mão, e toda a sua atitude transmitia extrema depressão. Na verdade, parecia tão desamparado, tão alquebrado, que a pequena Virginia, cuja ideia inicial fora correr e se trancar no quarto, foi tomada pela piedade e decidiu tentar confortá-lo. Seus passos eram tão leves, e a melancolia do fantasma tão profunda, que ele não se deu conta de sua presença até que ela lhe falasse.

– Sinto tanto pelo senhor – disse –, mas meus irmãos voltarão para Eton amanhã, e então, se o senhor se comportar, ninguém o incomodará mais.

– É absurdo pedir para que eu me comporte – ele respondeu, olhando atônito para a pequena e linda menina que se arriscara a lhe dirigir a palavra –, bem absurdo. Preciso rastejar minhas correntes, sussurrar pelas fechaduras, e vagar à noite, se é a isso que se refere. É a única razão de minha existência.

– Não é razão alguma para existir, e o senhor sabe que foi muito perverso. A senhora Umney nos contou, no dia em que chegamos aqui, que o senhor matou sua própria esposa.

– Bem, eu o admito – disse o fantasma, com petulância –, mas foi puramente uma questão familiar e que não dizia respeito a mais ninguém.

– É muito errado matar alguém – disse Virginia, que às vezes expressava uma doce seriedade puritana, herdada de algum velho ancestral da Nova Inglaterra.

– Oh, como odeio a severidade plebeia da ética abstrata! Minha esposa era simples demais, nunca foi capaz de engomar meus rufos direito e não sabia nada de cozinha. Ora, houve um corço que abati nos bosques de Hogley, um animal maravilhoso, e você tem ideia de como ela o mandou para a mesa? No entanto, não vem ao caso agora, porque está tudo acabado, e não creio ter sido muito gentil dos irmãos dela terem me feito morrer de fome, embora eu, de fato, a tenha assassinado.

– Mataram-no de fome? Oh, senhor fantasma... quero dizer, Sir Simon, o senhor está com fome? Sirva-se de um sanduíche em minha cesta. Quer?

– Não, obrigado. Nos tempos presentes nunca como nada; mas de qualquer forma é muito delicado de sua parte, e você é bem mais gentil do que o restante de sua hórrida, rude, vulgar e desonesta família...

— Pare! — gritou Virginia, batendo o pé. — O senhor é que é rude, e hórrido, é vulgar e desonesto; o senhor sabe que roubou as tintas da minha caixa para tentar retocar aquela ridícula mancha de sangue na biblioteca. Primeiro, pegou todos os meus vermelhos, incluindo o cinabre, e eu não pude mais pintar poentes, então pegou o verde-esmeralda e o amarelo cromado, e enfim não me sobrou mais nada além do índigo e do branco chinês, e eu só podia criar cenas ao luar, que sempre são deprimentes de se olhar e não são fáceis de pintar. Eu nunca lhe falei nada, embora estivesse muito irritada, e ademais toda a coisa foi muito ridícula; onde já se viu sangue verde-esmeralda?

— Bem, realmente — disse o fantasma, bem tranquilo —, mas o que eu deveria fazer? É muito difícil conseguir sangue verdadeiro hoje em dia, e, quando seu irmão começou com toda a história do detergente Perfeição, eu certamente não vi motivos para não pegar suas tintas. Quanto à cor, é sempre uma questão de gosto: os Canterville têm sangue azul, por exemplo, o mais azul da Inglaterra; mas eu sei que os americanos não ligam para coisas deste tipo.

— O senhor não sabe de nada disso, e a melhor coisa que pode fazer é emigrar e ampliar seus horizontes. Meu pai ficará muito feliz em lhe oferecer uma passagem grátis, e, apesar de existir uma taxa pesada sobre espíritos de quaisquer tipos, não haverá dificuldades em relação à alfândega, já que todos os funcionários lá são democratas.

Quando passar por Nova York, o senhor com certeza será um grande sucesso. Conheço muitas pessoas lá que dariam cem mil dólares para ter um avô, e muito mais que isso para ter um fantasma familiar.

– Não acho que eu vá gostar da América.

– Imagino que seja porque não temos ruínas e curiosidades – disse Virginia, em tom de zombaria.

– Não têm ruínas nem curiosidades! – respondeu o fantasma. – Ora, vocês têm sua marinha e suas maneiras.

– Ora, boa noite. Vou pedir ao papai que conceda uma semana a mais de férias aos gêmeos.

– Por favor, não vá, senhorita Virginia – ele exclamou. – Sinto-me tão só, e tão infeliz, e realmente não sei o que fazer. Quero dormir e não consigo.

– Isso é bastante absurdo! O senhor só precisa ir para a cama e soprar a vela. Às vezes acho muito difícil ficar acordada, especialmente na igreja, mas não tenho problema algum em dormir. Ora, até os bebês sabem como fazê-lo e eles não são muito inteligentes.

– Não durmo há trezentos anos – ele disse tristemente, e os belos olhos azuis de Virginia se abriram com espanto. – Por trezentos anos não tenho dormido e estou tão cansado.

Virginia se tornou muito séria, e seus pequenos lábios tremeram como as pétalas de uma rosa. Ela se aproximou dele e, ajoelhando-se ao seu lado, olhou para seu rosto velho e descarnado.

– Pobre, pobre fantasma – ela murmurou –, o senhor não tem um lugar onde possa dormir?

– Longe daqui, além dos pinheiros – ele respondeu em um tom baixo, de devaneio –, existe um pequeno jardim. Lá, a relva cresce longa e profunda, as flores de cicuta crescem como grandes estrelas brancas, e o rouxinol canta durante toda a noite. Por toda a noite canta ele, e a fria lua de cristal o vela, e os teixos esticam seus braços gigantes sobre tudo o que dorme.

Os olhos de Virginia se enevoaram com lágrimas, e ela escondeu o rosto entre as mãos.

– O senhor se refere ao Jardim da Morte – sussurrou.

– Sim, morte. A morte deve ser tão bela. Deitar na suave terra marrom, com a grama ondulando acima da cabeça, e escutar o silêncio. Não ter o ontem, nem o amanhã. Esquecer o tempo, esquecer a vida, estar em paz. Você pode me ajudar. Você pode abrir para mim os portais da casa da morte, porque o amor está sempre em você, e o amor é mais forte do que a morte.

Virginia estremeceu, um arrepio percorreu seu corpo e, por alguns momentos, fez-se silêncio. Ela se sentia como se estivesse em um sonho terrível.

Então o fantasma falou novamente, e sua voz soou como o uivar do vento.

– Você já leu a antiga profecia na janela da biblioteca?

– Oh, muitas vezes – exclamou a jovem, erguendo os olhos. – Eu a conheço bastante bem. Está pintada com estranhas letras pretas e é difícil de ler. Só tem seis versos:

Quando a menina dourada houver livrado
Uma oração dos lábios do pecado,
Quando a amendoeira seca der o fruto,

E a pequenina criança curar o luto,
Então a casa assim ficará serena
E em Canterville reinará a paz eterna

– ... Mas não sei o que significam.
– Significam – ele disse com tristeza – que você precisa chorar comigo por meus pecados, porque não tenho lágrimas, e orar comigo por minha alma, porque não tenho fé, e então, se você sempre houver sido doce, bondosa e gentil, o anjo da morte terá piedade de mim. Você verá formas assustadoras na escuridão, e vozes perversas vão sussurrar em seus ouvidos, mas isso não vai lhe causar mal algum, porque os poderes do Inferno não são capazes de triunfar sobre a pureza de uma criança.

Virginia não respondeu, e o fantasma retorceu as mãos com um desespero selvagem enquanto olhava a cabeça dourada da garota inclinada para baixo. De repente ela se ergueu, muito pálida e com uma estranha luz nos olhos.

– Não tenho medo – disse com firmeza – e vou pedir ao anjo para que tenha piedade do senhor.

Ele se ergueu com um débil grito de alegria e, pegando-lhe a mão, inclinou-se diante dela com uma graciosidade à moda antiga e a beijou. Seus dedos estavam frios como o gelo e seus lábios queimavam como o fogo, mas Virginia não vacilou enquanto ele a conduzia pela mão através da sala escurecida. Na gasta tapeçaria verde havia, bordados, três pequenos caçadores. Sopravam suas cornetas enfeitadas com borlas e, com suas pequenas mãos, acenavam para que ela voltasse.

– Volte! Pequena Virginia – exclamavam –, volte!

Mas o fantasma apertou-lhe a mão com mais força, e ela fechou os olhos para eles. Animais horríveis com caudas de lagartos e olhos esbugalhados piscavam para ela da estante na chaminé e murmuravam:

– Cuidado! Pequena Virginia, cuidado! Podemos te perder para sempre!

Mas o fantasma acelerou o passo, e Virginia não os ouviu. Quando alcançaram a extremidade da sala, ele parou e balbuciou algumas palavras que ela não conseguiu entender. Então, abriu os olhos e observou a parede desaparecer lentamente, como se fosse névoa, e viu uma grande caverna à frente. Um vento gelado e áspero soprou ao redor deles, e a garota sentiu algo puxando-lhe o vestido.

– Rápido, rápido – exclamou o fantasma –, ou será tarde demais. – Um segundo depois o lambril havia se fechado atrás deles, e a sala da tapeçaria estava vazia.

6

Cerca de dez minutos depois, a campainha chamou para o chá e, como Virginia não apareceu, a senhora Otis despachou um dos criados para chamá-la. Após algum tempo, ele retornou e disse que não encontrou a senhorita Virginia em lugar algum. Como a filha tinha o hábito de sair ao jardim todo anoitecer para pegar flores para a mesa de jantar, a senhora Otis de início não ficou alarmada; mas, quando soaram seis horas e Virginia não apareceu, ela se tornou realmente agitada e enviou os filhos para procurarem ao redor da casa, enquanto ela e o senhor Otis vasculhavam cada cômodo de dentro. Às seis e meia, os rapazes voltaram e contaram que não haviam encontrado traço algum da irmã. Agora estavam todos no estado do mais intenso desespero e sem saber o que fazer, quando o senhor Otis subitamente se lembrou de que, alguns dias antes, ele havia permitido a um bando de ciganos acampar no parque. Assim, sendo acompanhado pelo filho mais velho e dois empregados da fazenda, partiu imediatamente para Blackfell Hollow, onde sabia que estavam. O pequeno duque de Cheshire, totalmente frenético pela ansiedade, implorou muito para ir junto, mas o senhor Otis não permitiu, pois temia que pudesse ocorrer um tumulto. Chegando lá, no entanto, ele descobriu que os ciganos haviam ido embora, e ficou evidente que a partida deles fora recente, uma vez que a fogueira ainda estava ardendo e alguns pratos espalhavam-se pela relva. Após despachar Washington e os dois homens para esquadrinhar o distrito, ele voou para casa e enviou telegramas a todos os inspetores de polícia do condado, pedindo-lhes que procurassem por uma garota que fora raptada por vagabundos e ciganos. Então, ordenou para que seu cavalo fosse trazido e, após insistir para que a esposa e os garotos fossem jantar, disparou pela estrada de Ascot com um cavalariço. Contudo, mal havia percorrido alguns quilômetros quando ouviu alguém galopando atrás de si e, olhando ao redor, viu o duquesinho em seu pônei, com o rosto bem ruborizado e sem chapéu algum.

– Sinto muitíssimo, senhor Otis – gaguejou o rapaz –, mas não consigo jantar tranquilamente sabendo que Virginia está perdida. Por favor, não fique bravo comigo. Se o senhor tivesse permitido ficarmos noivos no ano passado, todos esses problemas jamais teriam acontecido. O senhor não vai me mandar voltar, vai? Não posso voltar! Não vou!

O ministro não pôde deixar de sorrir para o belo e jovem mandrião e ficou algo tocado com a devoção dele a Virginia; então, inclinando-se sobre o cavalo, bateu gentilmente em seus ombros e disse:

– Bem, Cecil, se você não vai voltar, suponho que deva vir comigo, mas precisamos arranjar-lhe um chapéu em Ascot.

– Oh, que importa meu chapéu? Eu quero é Virginia! – exclamou o duquesinho, e eles galoparam na direção da estação de trem. Lá, o senhor Otis indagou o encarregado se alguém correspondendo à descrição de Virginia fora visto na plataforma, mas não conseguiu notícia alguma dela. O encarregado, no entanto, telegrafou para todas as estações da linha e garantiu a ele que manteriam estrita vigilância em relação a ela. O senhor Otis então, após comprar um chapéu para o pequeno duque de um tecelão que estava fechando a loja, cavalgou para Bexley, um vilarejo a cerca de seis quilômetros dali, que, como lhe disseram, era conhecido por atrair ciganos, já que por perto havia um grande descampado. Lá, acordaram um policial rural, mas não conseguiram obter nenhuma informação dele e, depois de percorrerem todo o descampado, viraram os cavalos na direção de casa e chegaram à propriedade perto de onze horas, exaustos e com os corações quase destroçados. Encontraram Washington e os gêmeos esperando-os no portão da casa com lamparinas, já que a alameda estava muito escura. Nem sequer o menor traço de Virginia fora descoberto. Os ciganos foram capturados nos prados de Brockley, mas ela não estava com eles, que justificaram a súbita partida afirmando terem se confundido sobre a data da Feira de Chorton, assim saindo em disparada por medo de que se atrasassem. Na verdade, eles ficaram bastante consternados ao ouvir sobre o desaparecimento de Virginia, uma vez que se sentiam muito gratos ao senhor Otis por ele ter permitido que acampassem em seu parque, e quatro deles ficaram para trás para auxiliar nas buscas. O lago das carpas fora dragado, e toda a propriedade vasculhada, mas sem qualquer resultado. Ficou claro que, ao menos por aquela noite, Virginia estava perdida para eles; e, tomados pela mais profunda depressão, o senhor Otis e os rapazes caminharam de volta para casa, o cavalariço seguindo-os com os dois cavalos e o pônei. No *hall*, encontraram um grupo de empregados assustados, e, estirada em um sofá na biblioteca, estava a pobre senhora Otis, quase enlouquecida pelo terror e pela ansiedade, enquanto a velha governanta banhava sua testa com água de colônia. O senhor Otis imediatamente insistiu que ela comesse algo e pediu o jantar para todos os outros. Foi uma refeição melancólica, já que quase ninguém falou e até os gêmeos estavam prostrados e subjugados. Quando terminaram, o senhor Otis, apesar das súplicas do duquesinho, ordenou que todos fossem dormir, dizendo que nada mais poderia ser feito naquela noite e que, pela manhã, ele telegrafaria à Scotland Yard para que alguns detetives fossem enviados imediatamente. Saíam eles da sala de jantar quando à meia-noite começou a ribombar no relógio da torre, e, assim que soou a última badalada, todos ouviram um estilhaçar de vidro e um grito agudo; um terrível estrondo de trovão sacudiu a casa, algo como uma música sobrenatural volitou pelo ar, um painel no topo da escadaria tombou com estardalhaço e, no patamar, surgiu Virginia, parecendo muito pálida e com uma pequena urna nas mãos. No mesmo instante, todos correram para ela. A senhora Otis a envolveu amorosamente nos braços, o duque a sufocou com beijos desesperados, e os gêmeos executaram uma selvagem dança de guerra ao redor do grupo.

– Pelos céus! Criança, onde você estava? – perguntou o senhor Otis, bastante bravo, pensando que ela houvesse pregado alguma peça neles. – Cecil e eu cavalgamos por toda a região a procurando, e sua mãe estava mortalmente assustada. Você nunca mais faça essas brincadeiras de mau gosto.

– Exceto com o fantasma! Exceto com o fantasma! – gritaram os gêmeos, dando cambalhotas ao redor.

– Minha querida, graças a Deus você foi encontrada; nunca mais saia do meu lado – murmurou a senhora Otis, enquanto beijava a criança trêmula e afagava o dourado de seus cabelos.

– Papai – disse Virginia, em voz baixa –, eu estava com o fantasma. Ele está morto, e o senhor tem de ir vê-lo. Ele já foi muito mau, mas estava realmente arrependido por tudo o que havia feito e me deu esta caixa com lindas joias antes de morrer.

A família toda a encarou muda de surpresa, mas ela permaneceu bem grave e séria; e, virando-se, levou-os através da abertura nos lambris na direção de um estreito corredor secreto. Washington seguiu-os com uma vela acesa que havia pegado na mesa de jantar. Finalmente deram com uma grande porta de carvalho, cravejada com pregos enferrujados. Quando Virginia a tocou, ela se abriu rangendo as dobradiças pesadas, e eles se viram em uma sala pequena e baixa, com o teto abobadado e uma minúscula janela com barras de ferro. Cimentado na parede havia um imenso anel de ferro, e acorrentado a ele estava um lúgubre esqueleto, totalmente esticado no piso de pedra, que parecia tentar agarrar, com seus longos dedos descarnados, uma bandeja e uma ânfora colocadas fora de seu alcance. O jarro evidentemente contivera água, algum dia, já que por dentro estava coberto por musgo. Na bandeja não havia nada além de um montículo de pó. Virginia ajoelhou-se ao lado do esqueleto e, unindo as pequenas mãos, começou a rezar silenciosamente, enquanto os outros a olhavam espantados com a terrível tragédia cujo segredo agora lhes era revelado.

– Ei! – de repente exclamou um dos gêmeos, que estivera olhando pela janela para tentar descobrir em que ala da casa ficava a sala. – Ei! A amendoeira velha e ressecada floresceu. Posso ver muito bem as flores ao luar.

– Deus o perdoou – disse Virginia com gravidade, enquanto se levantava, e uma delicada luz parecia iluminar seu rosto.

– Que anjo você é! – exclamou o duquesinho, colocando o braço ao redor do pescoço dela e a beijando.

7

Quatro dias depois desses estranhos incidentes, teve início na propriedade Canterville, por volta das onze da noite, um funeral. A carreta fúnebre foi puxada por seis cavalos negros, cada um deles tendo um grande arranjo de penas de avestruz na cabeça, e o caixão de chumbo estava coberto por uma rica mortalha púrpura, na qual, bordado em dourado, via-se o brasão de armas dos Canterville. Ao lado da carreta fúnebre e dos coches caminhavam os criados carregando tochas, e toda a procissão era espantosamente impressionante. Lord Canterville liderava o velório, tendo vindo do País de Gales especialmente para o funeral, e estava sentado na primeira carruagem com a pequena Virginia. Então, vinham o ministro dos Estados Unidos e sua esposa, depois Washington e os três garotos e, na última carruagem, estava a senhora Umney. Foi de consenso geral que, como ela fora assustada pelo fantasma por mais de cinquenta anos, tinha o direito de acompanhar seu fim. Uma profunda cova fora cavada em um canto do cemitério, logo abaixo do velho teixo, e o ofício foi lido de forma magnífica pelo reverendo Augustus Dampier. Quando a cerimônia terminou, os empregados, seguindo um antigo hábito cultivado pela família Canterville, apagaram as tochas e, enquanto o caixão era colocado na cova, Virginia avançou e pousou, sobre ele, uma grande cruz feita de flores de amendoeira brancas e róseas. Ao fazê-lo, a lua saiu de trás de uma nuvem e inundou o pequeno cemitério com seu silêncio prateado, e em um arvoredo distante um rouxinol começou a cantar. Ela pensou na descrição do Jardim da Morte feita pelo fantasma, seus olhos se enevoaram de lágrimas e ela mal falou durante o retorno para casa.

Na manhã seguinte, antes de Lord Canterville voltar para a cidade, o senhor Otis comunicou-lhe a respeito das joias que o fantasma dera a Virginia. Eram perfeitamente magníficas, em especial um certo colar de rubis em estilo veneziano antigo, e o valor das joias era tão alto que o senhor Otis sentiu consideráveis escrúpulos em relação à sua filha aceitá-las.

– Meu lord – ele disse –, sei que neste país as herdades se aplicam tanto a berloques quanto a terras, e está bem claro para mim que essas joias são, ou deveriam ser, heranças de sua família. Assim sendo, suplico que as leve com o senhor para Londres e que as reconheça apenas como uma parte de sua propriedade que foi devolvida sob algumas estranhas circunstâncias. Quanto à minha filha, ela é só uma criança e, sinto-me feliz ao dizê-lo, ainda demonstra pouco interesse por tais badulaques de luxo frívolo. Também fui informado pela senhora Otis, a qual, devo dizer, não é pouco conhecedora da Arte, pois teve o privilégio de passar vários invernos em Boston quando era menina, de que essas gemas são de grande valor monetário e, se fossem postas à venda, alcançariam um elevado preço. Diante de tais circunstâncias, Lord Canterville, sinto-me seguro de que o senhor irá reconhecer o quão impossível seria, para mim, permitir que elas ficassem na possessão de qualquer membro de minha família; e, na verdade, todos esses ornamentos e brinquedos fúteis, ainda que adequados à dignidade da aristocracia britânica, ficariam completamente deslocados entre aqueles que foram criados em meio aos severos e, acredito, imortais princípios da simplicidade republicana. Talvez eu deva mencionar que Virginia sente-se muito ansiosa para que o senhor lhe permita ficar com a caixa, como *memento*[4] de seu desafortunado porém desnorteado ancestral. Como a urna é extremamente velha e, em consequência, está há bastante tempo sem reparos, o senhor talvez possa considerar adequado aceitar-lhe o pedido. De minha parte, confesso estar um tanto surpreso por me deparar com uma filha minha expressando simpatia por qualquer forma de medievalismo, e só posso aceitar isso devido ao fato de que Virginia nasceu em um de seus subúrbios de Londres depois de a senhora Otis ter voltado de uma viagem a Atenas.

Lord Canterville escutou o discurso do ministro com muita seriedade, puxando seu bigode grisalho vez por outra para ocultar um sorriso involuntário, e, quando o senhor Otis terminou, apertou-lhe cordialmente a mão e disse:

— Meu caro senhor, a sua encantadora filha realizou ao meu infeliz ancestral, Sir Simon, um serviço muito importante, e eu e minha família estamos em grande débito para com ela por sua maravilhosa coragem e audácia. As joias pertencem a ela, é evidente, e acredito

---

4   Lembrança.

eu, oh céus, que, se eu fosse desalmado o suficiente para tirá-las da jovem, o nosso velho e malévolo camarada estaria fora de sua cova em duas semanas, transformando a minha vida em um inferno. Quanto a elas serem herança, nada que não conste em um testamento ou um documento legal é uma herança, e a existência dessas joias era bastante desconhecida. Garanto-lhe não ter mais direitos sobre elas do que seu mordomo e, quando a senhorita Virginia crescer, arrisco dizer que vai agradá-la ter coisas tão bonitas para usar. Além disso, o senhor se esquece, senhor Otis, de que pegou a mobília e o fantasma pelo preço combinado, e tudo o que pertencia a ele passou imediatamente à sua posse, pois, a despeito de quaisquer atividades que Sir Simon possa ter desempenhado no corredor à noite, do ponto de vista da lei, ele já estava morto, e o senhor adquiriu sua propriedade por meio de compra.

O senhor Otis ficou bastante angustiado diante da recusa de Lord Canterville e implorou a ele para que reconsiderasse sua decisão, mas o nobre de bom coração se manteve firme e finalmente induziu o ministro a permitir que sua filha ficasse com o presente que o fantasma dera a ela, e, quando, na primavera de 1890, a jovem duquesa de Cheshire foi apresentada no salão principal da rainha na ocasião de seu casamento, suas joias foram objeto de admiração de todos. Pois Virginia recebeu a diadema, que é a recompensa de todas as boas meninas americanas, e se casou com seu amado da infância tão logo chegou à maioridade. Ambos eram tão charmosos e se amavam tanto, que encantavam a todos, com exceção da velha marquesa de Dumbleton – ela havia tentado capturar o duque para uma de suas sete filhas solteironas e dera não menos do que três dispendiosos jantares com esse propósito – e, por estranho que pareça, o próprio senhor Otis, que gostava muito da personalidade do duquesinho, mas, teoricamente, opunha-se a títulos de qualquer ordem e, para usar suas próprias palavras, "não deixava de temer que, em meio às enervantes influências de uma aristocracia hedonista, os verdadeiros princípios da simplicidade republicana fossem esquecidos". Suas objeções, contudo, foram totalmente rejeitadas, e eu acredito que, quando ele caminhou pelo corredor da igreja de St. George, em Hanover Square, de braços dados com a filha, não houvesse homem mais orgulhoso em toda a extensão do território inglês.

O duque e a duquesa, após o fim da lua de mel, voltaram à propriedade de Canterville e, no dia após sua chegada, caminharam, à tarde, até o cemitério solitário perto dos pinheirais. Em um primeiro momento, houve muitas dificuldades em relação à inscrição na lápide de Sir Simon, mas finalmente decidiu-se por gravá-la com as iniciais do nome do velho cavalheiro e com os versos da janela da biblioteca. A duquesa trouxe consigo algumas rosas encantadoras, que espalhou pelo túmulo, e, depois de eles permanecerem ali por algum tempo, caminharam até as ruínas da capela na velha abadia. Lá, a duquesa se sentou em um pilar tombado, enquanto seu marido postou-se a seus pés fumando um cigarro e contemplando-lhe os belos olhos. De repente, ele se livrou do cigarro, pegou-lhe a mão e disse:

– Virginia, uma esposa não deve guardar segredos de seu marido.

– Querido Cecil! Não tenho segredo nenhum.

– Sim, você tem – ele respondeu, sorrindo –, você jamais me contou o que aconteceu quando estava trancada com o fantasma.

– Jamais o disse a ninguém, Cecil – afirmou Virginia, com gravidade.

– Sei disso, mas você poderia me contar.

– Por favor, não me pergunte, Cecil, não posso lhe contar. Pobre Sir Simon! Devo tanto a ele. Sim, não ria, Cecil, realmente devo. Ele me fez ver o que é a vida, o que a morte significa e por que o amor é mais forte do que ambas.

O duque se levantou e beijou apaixonadamente sua esposa.

– Você pode ter um segredo desde que eu tenha seu coração – ele murmurou.

– Você sempre o teve, Cecil.

– E você contará aos nossos filhos algum dia, não?

Virginia corou.

Fonte: Dante MT Std

#Novo Século nas redes sociais

gruponovoseculo.com.br